S0-BJF-922

Darmstadt

Sachbuchverlag Karin Mader

Fotos:
Jost Schilgen

Seite 27: Schloßmuseum Darmstadt

Text:
Hans-C. Hoffmann

© Sachbuchverlag Karin Mader
D-28879 Grasberg
www.mader-verlag.de

Grasberg 2000
Alle Rechte, auch auszugsweise, vorbehalten.

Das Werk, einschließlich aller seiner Teile, ist urheberrechtlich
geschützt. Konzeption, Gestaltung und Ausstattung wurden eigens
für diese Städtereihe entwickelt und unterliegen in der Einheit von
Format, Layout und Gliederung dem Schutz geistigen Eigentums
und dürfen weder kopiert noch nachgeahmt werden.

Übersetzungen:
Englisch: Michael Meadows
Französisch: Mireille Patel

Printed in Germany

ISBN 3-921957-13-3

In dieser Serie sind erschienen:

Aschaffenburg	Essen	Das Lipperland	Osnabrück
Baden-Baden	Flensburg	Lübeck	Paderborn
Bad Oeynhausen	Freiburg	Lüneburg	Recklinghausen
Bad Pyrmont	Fulda	Mainz	Der Rheingau
Bochum	Gießen	Mannheim	Rostock
Bonn	Göttingen	Marburg	Rügen
Braunschweig	Hagen	Die Küste –	Schwerin
Bremen	Hamburg	Mecklenburg-Vorpommern	Siegen
Bremerhaven	Der Harz	Die Küste – Ostfriesland	Stade
Buxtehude	Heidelberg	Die Küste –	Sylt
Celle	Herrenhäuser Gärten	Schleswig-Holstein Nordsee	Trier
Cuxhaven	Hildesheim	Die Küste –	Tübingen
Darmstadt	Kaiserslautern	Schleswig-Holstein Ostsee	Weimar
Darmstadt und der Jugendstil	Karlsruhe	Minden	Wiesbaden
Duisburg	Kassel	Mönchengladbach	Wilhelmshaven
Die Eifel	Kiel	Münster	Wolfsburg
Eisenach	Koblenz	Das Neckartal	Würzburg
Erfurt	Krefeld	Oldenburg	Wuppertal

Titelbild:
Marktplatz mit Altem Rathaus

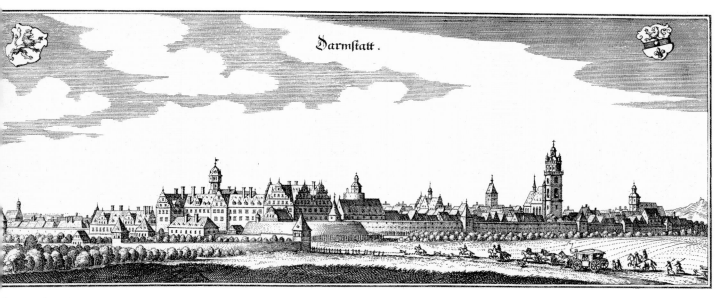

Darmstatt.

ch wünschte mir zur Würze meines Lebens
ine andere Gesellschaft, als die mir Darmstadt
rbot, wie dieser Ort auch überhaupt einer von
nen wäre, worin ich meine Zelte für immer
fschlagen würde, wenn das Schicksal mich den
t meines Aufenthaltes frei wählen ließe. Man
in der Mitte zwischen vielen großen Städten,
alle nicht weit entfernt sind, hat eine Gesell-
aft, so gut als sie nur die größte Stadt geben
nn, kann das Ländliche mit dem Städtischen
gemein schön verbinden und genießt eine sehr
te Luft."
ese Worte von 1783 gelten auch heute noch für
se Stadt, die es immer verstanden hat, die
rzüge der Provinz auf das Glücklichste zu
binden mit denen einer Metropole. Als Sitz
ler zentralen Einrichtungen der Verwaltung,
r Forschung und der Kultur empfängt die Stadt
ndig neue Impulse, die dafür sorgen, daß sich
se überschaubare Großstadt ihre Eigenart und
deutung auch gegenüber den mächtigen
ntren der Umgebung bewahren kann.

"As spice of my life I could not wish for better
company than that which Darmstadt offered me;
this place which in any case would be one of those
where I would pitch my tents forever if fate had
let me choose my place of residence of my own
free will. One is in the middle of many large cities,
all of which are not far away, has good company
as only a large city can offer, can combine the
country with the city uncommonly well and
enjoys very good air."
These words from 1783 are still valid for this city
today, a city which has always understood how to
combine the advantages of the country most
favorably with those of a metropolis. As seat of
many central administrative, research and
cultural facilities, Darmstadt continually receives
new impulses which enable this easy-to-view city
to maintain its character and significance, even
among the mighty centers of the surrounding
area.

«Je ne souhaite pour agrémenter ma vie point
d'autre compagnie que celle que m'offre
Darmstadt; cette ville étant de toute façon l'une
de celles où je pourrais planter ma tente pour
toujours, si le destin me permettait de choisir
librement le lieu de ma résidence. L'on est entre
plusieurs grandes villes, lesquelles sont peu
éloignées, la société y est aussi agréable que
dans une grande ville. L'élément rustique et
l'élément citadin s'y unissent avec un rare
bonheur et l'on y jouit d'un très bon air.»
Ces lignes écrites en 1783 sont valables encore
aujourd'hui, car cette ville a toujours su
combiner les avantages de la province et ceux
d'une métropole. Comme siège de nombreux
organismes administratifs, scientifiques et
culturels la ville reçoit constamment de nou-
velles impulsions qui font en sorte que cette
grande ville sans démesure préserve son
originalité et son importance face aux grands
centres avoisinants.

Südhessens Zentrum

Der 1912 eröffnete Hauptbahnhof von F. Pützer kann fast als Abbild der „überschaubar" gebliebenen Großstadt gesehen werden: Offen gegenüber Fremden, nicht zu groß und doch praktisch, bildschön und sauber und in seinen besten Teilen dem Jugendstil verpflichtet.

The main railway station, designed by F. Pützer and opened in 1912, can be regarded almost as a copy of the big city which has remained "uncomplicated": open to strangers, not too big and yet practical, beautiful and clean, the best parts of which are done in Art Nouveau style.

La gare centrale œuvre de F. Pützer, mise en service en 1912, représente bien cette grande ville à la mesure de l'homme: elle est accueillan envers les étrangers, point trop grande, pratiqu jolie, propre et dédiée à l'Art Nouveau dans se parties les plus remarquables.

as Herz der Stadt schlägt am Luisenplatz, rund
n den Langen Ludwig, dem Verfassungsdenk-
al von Georg Moller. Im Schnittpunkt der
oßen Achsen der Stadt stehend nimmt man
eses markante Wahrzeichen schon von weitem
hr. Vor wenigen Jahren noch umbrandete der
erkehr dieses Denkmal, während heute dieser
atz den Fußgängern gehört.

The heart of the city beats at Luisenplatz, around
the Langen Ludwig, the tall constitution-monu-
ment by Georg Moller. Standing at the intersection of the great axes of the city one perceives this
striking landmark from far away. A few years ago
traffic still surged around this monument but
today this square belongs to the pedestrians.

Le cœur de la ville bat sur la Luisenplatz autour
du Grand Louis, le monument à la constitution
de Georg Moller. Situé à l'intersection des
grandes artères il est l'emblème de la ville et on
peut le voir de loin. Il y a quelques années
encore les voitures circulaient autour du
monument mais la place aujourd'hui appartient
aux piétons.

Regierungspräsidium Darmstadt
Ein offenes Haus
13. Mai 2000, 9.30 – 18.00 Uhr

as Kollegienhaus am Luisenplatz ist Sitz des
egierungspräsidenten. Der spätbarocke Bau
ägt in besonderem Maße das Gesicht des
atzes, zu dessen ehrwürdigen „Einrichtungen"
übrigen auch die Engel-Apotheke im Merck-
aus zählt. Von diesem Platz aus wurden immer

The Kollegienhaus at Luisenplatz ist the seat of
the president of the government. The late
baroque edifice characterizes in a special manner
th appearance of the square; in addition the
Engel-Apotheke in the Merck-Haus also belongs
to the honorable "facilities" of the square.

La «Kollegienhaus» sur la Luisenplatz est le
siège du président du gouvernement régional.
Cet édifice de style baroque contribue fortement
à marquer la physionomie de la place. La phar-
macie Engel dans la Merck-Haus est au nombre
des vénérables institutions de cette place.

die Geschicke der Stadt und des Landes gelenkt. Früher in der Verbindung von Kollegienhaus und Altem Palais, heute in dem Gegenüber von Regierungspräsidium und Neuem Rathaus, das an die Stelle des Palais getreten ist und zugleich ein Kongreßzentrum einschließt, das unmerklich übergeht in das Luisen-Center, einem supermodernem Einkaufsparadies.

The fate of the city and the state was always directed from this square. In the past through the combination of Kollegienhaus and Altem Palais, today through the conjunction of Regierungspräsidium and Neuem Rathaus, including, at the same time, a convention center, which unnoticeably blends into the Luisen-Center, a supermodern shopping paradise.

C'est de cette place que dépendit de tout temps le destin de la ville et du «Land». Il dépendait auparavant du complexe Kollegienhaus-Vieux Palais et de nos jours de la présidence et du Nouvel Hôtel de ville qui a remplacé le Vieux Palais et comprend un centre de congrès qui se transforme imperceptiblement en un paradis de l'achat: le Luisen-Center.

hopping ohne Verkehr

ie Stadt hat in den letzten Jahren ein dichtes
etz von Fußgängerzonen ausgebaut, in denen
as Leben jetzt intensiver pulsiert, als das vordem
vischen Autos möglich war. Dabei hat jede dieser
raßen und Plätze ihr eigenes Gesicht, mal
odern, mal nostalgisch, bewahrt.
wischen den großen Kaufhäusern, Einkaufs-
ntren und individuellen Boutiquen bleiben bei
em vielfältigen Angebot keine Wünsche offen.

In recent years the city has developed a dense
network of pedestrian zones in which life today
pulsates more intensively than it was possible
before with all the traffic. Each of these streets and
squares, however, has retained its own character,
sometimes modern, sometimes nostalgic.
The diverse selection offered by the large depart-
ment stores, shopping centers and individual
boutiques ensures that no wishes remain unfulfilled.

La ville a créé ces dernières années un réseau
dense de voies piétonnes où l'animation est
aujourd'hui très intense, ce que ne permettaient
pas autrefois les autos. Pourtant, chacune de ces
rues et de ces places a conservé un aspect qui lui
est propre, tantôt moderne, tantôt nostalgique.
Grands magasins, centres commerciaux,
boutiques à l'offre plus personnalisée: tous les
désirs peuvent être comblés.

In einer Stadt mit ausgeprägter Mittelpunktfunktion zwischen Odenwald, nördlicher Bergstraße und dem Ried kommt zentralen Einkaufsmöglichkeiten, verbunden mit Dienstleistungsangeboten, große Bedeutung zu: Hier, zwischen Luisen-Center und Ludwigsplatz, finden Einheimische und Fremde alles in fußläufiger Entfernung.
Der Weiße Turm, Wahrzeichen der Innenstadt, ist ein ehemaliger Eckturm der Stadtmauer aus dem 15. Jahrhundert.

In a city with a distinct function as a center between Odenwald, northern Bergstraße and Ried great importance is attached to central shopping opportunities combined with suppliers of services: here, in and around the Luisen-Center and Ludwigsplatz, local residents and visitors can find everything within walking distance.
The White Tower, a landmark of the city center, was formerly a corner tower of the town wall and dates from the 15th century.

Dans cette ville qui fait fonction de carrefour entre l'Odenwald, le nord de la Bergstraße et le Ried, les services et les possibilités de faire des achats prennent une grande importance: dans un espace qui peut être parcouru à pied autour du Luisen-Center et Ludwigsplatz, les habitants de la ville et d'ailleurs trouvent tout ce dont ils ont besoin.
La Tour Blanche, édifice emblématique du centre-ville, était jadis une tour angulaire du rempart du 15e siècle.

Erinnerungen an das alte Darmstadt

Die Altstadt von Darmstadt ist im Krieg unterge-
gangen; nur wenige Denkmale konnten erhalten
bleiben. Sie aber zeigen, wie vielfältig und jeweils
fortschrittlich das Gesicht der Stadt immer
gewesen ist, denn als Georg Moller 1822–27 für
die katholische Gemeinde diesen Rundbau nach
dem Vorbild des Pantheon in Rom errichtete,
erregte das in der bis dahin von Renaissance und
Barock geprägten Stadt nicht weniger Aufsehen,
als so mancher Neubau heute.

Darmstadt's Old Town was destroyed in the war;
only a few monuments were able to survive. They
show, however, how multivarious and progressive
the face of the city has always been – for when
Georg Moller built this round edifice (1822–27)
modelled after the Pantheon in Rome for the
Catholic community, it created as much
excitement in a city which, until then, was
characterized by the Renaissance and baroque
periods as some modern buildings do today.

La vieille ville de Darmstadt a été détruite
pendant la guerre. Seuls quelques monumen
ont pu être préservés, mais ils témoignent de
diversité et de l'esprit progressif qui ont, de to
temps, caractérisé Darmstadt. Ainsi ce fut un
grande sensation, dans cette ville jusque là
dédiée aux styles baroque et renaissance que
construction de la rotonde de Georg Moller
(1822–27), sur le modèle du Panthéon de
Rome, pour la communauté catholique de
Darmstadt.

s „Pädagog", erbaut 1629 als Lateinschule,
rstört 1944 und wiedererrichtet für die Volks-
chschule, war jahrhundertelang die bedeutend-
Schule in ganz Südhessen, auf der die Schüler
das Studium an der Landesuniversität in Gie-
n vorbereitet wurden.

"Pädagog", built in 1629 as a school for Latin,
destroyed in 1944 and rebuilt for the adult educa-
tion center, was, for centuries, the major school in
all of South Hesse where the pupils were prepared
for studies at the state university in Gießen.

Le «Pédagogue» construit en 1629 comme école
de latin, détruit en 1944 et reconstruit pour
abriter l'université des adultes, fut, des siècles
durant, l'école la plus importante de la Hesse du
sud. Les élèves y étaient préparés aux études de
l'université de Gießen.

Der Bau, den Alfred Messel 1896–1906 für das Landesmuseum errichtete, greift mit dem Turm und den großen barocken Dachformen noch einmal auf die Projekte für den Ausbau der barocken Residenz zurück. Mit seiner breiten Front bildet es den städtebaulich wichtigen Abschluß des Friedensplatzes, der auch erst in den letzten Jahren seine einladende Gestalt erhielt.

With its tower and the large baroque roof forms the edifice, which Alfred Messel built for the Landesmuseum in 1896–1906, goes back once again to projects for the development of the baroque residence. With its wide facade it forms, with regard to town planning, the important end of the Friedensplatz which also received inviting design in recent years.

L'édifice construit par Alfred Messel (1896–190 pour abriter le Musée d'Etat est la réalisation avec sa tour et ses toits baroques du plan d'exten sion de la Résidence baroque. Cet édifice avec s large façade est important du point de vue architectural. C'est la dernière construction de Friedensplatz laquelle ne reçut que dernièreme elle aussi, son aimable apparance.

uch das Alte Theater ist ein Teil jenes barocken esidenzplanes, der die Zusammenfassung aller nrichtungen des Hofes in einem Baukomplex rsah. Eine glückliche Geschichte war diesem enfalls von Georg Moller errichteten Bau lerdings nicht beschieden: das 1819 eröffnete aus brannte 1871 ein erstes Mal aus, 1944 das eite Mal. Nach langjährigen und umfang- ichen Restaurierungsarbeiten ist hier seit 1994 s Hessische Staatsarchiv und das Darmstädter adtarchiv untergebracht.

The Alte Theater is also a part of that baroque residence plan which foresaw the concentration of all buildings of the court in one complex. A happy fate was, however, not allotted to this edifice built by Georg Moller: the house, which was opened in 1819, first burned down in 1871, then in 1944 a second time. After many years of extensive restoration work the Hessian State Archives and the Darmstadt City Archives have been housed here since 1994.

Le Vieux Théâtre figurait lui aussi sur les plans de la Résidence baroque, lequel prévoyait la concentration de tous les édifices de la cour en un complexe architectural. Le destin de celui-ci fut malheureux. Le théâtre inauguré en 1819 brûla une première fois en 1871 et une deuxième fois en 1944. Après des travaux de restauration extensifs qui durèrent plusieurs années, cet édifice accueillit les archives du land de Hesse et celles de la ville de Darmstadt.

Dieses Denkmal Großherzogs Ludwigs II. mag
heute weniger von großen Taten der letzten
Großherzöge zeugen, als von einer Zeit, die nach
neuen Formen zur Verwirklichung der Men-
schenrechte suchte, sei es durch die Befreiung
des Geistes, wie sie Georg Büchner (1813–1837)
verstand oder durch die Befreiung vom Hunger,
wie sie Justus von Liebig (1803–73) versuchte.

This monument of Grand-Duke Ludwig II bears
perhaps less witness to the great deeds of the last
grand-dukes than to a time which searched for
new ways to realize human rights, whether by
freeing the mind as Georg Büchner (1813–1837)
understood it or through freedom from hunger as
Justus von Liebig (1803–73) attempted.

Ce monument dédié au grand-duc Louis II est
moins un témoignage aux hauts faits de ce dernier
qu'aux réalisations d'une époque dédiée aux
droits de l'homme: Soit que Georg Büchner
(1813–1837) voulut libérer son esprit ou que
Justus von Liebig (1803–73) tenta de le libérer de
la faim.

ie neue Synagoge wurde 1988 eingeweiht. Nach
r Zerstörung der beiden alten Synagogen wurde
e in den achtziger Jahren von dem Architekten
. Jacoby geschaffen und mit prächtigen Glas-
nstern von Brian Clarke ausgestattet.

The new synagogue was officially opened in 1988.
Designed by architect A. Jacoby and provided
with marvelous glass windows by Brian Clarke, it
was built in the eighties after the destruction of
the two old synagogues.

La nouvelle synagogue a été consacrée en 1988.
Les deux vieilles synagogues ayant été détruites,
elle fut conçue dans les années quatre-vingts par
l'architecte A. Jacoby. Ses magnifiques vitraux
sont de Brian Clarke.

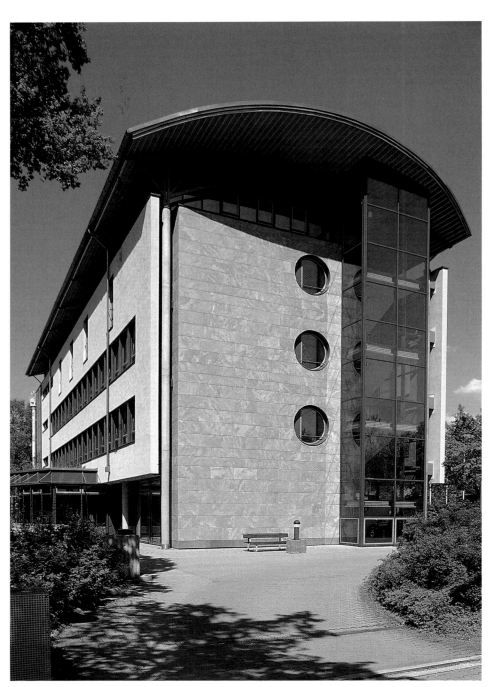

Darmstadt heute –
die Wissenschaftsstadt

Aus der einstigen Landeshauptstadt Hessens entwickelte sich in der zweiten Hälfte des vergangenen Jahrhunderts die Stadt der Wissenschaft, Wirtschaft und Kunst. International arbeitende Wirtschaftsunternehmen und Institute, wie auch Weltraumorganisationen, haben heute ihren Sitz in Darmstadt.

The city of science, business and art developed out of the former state capital of Hessen in the second half of the last century. Internationally active commercial enterprises and institutes as well as space organizations have their headquarters in Darmstadt.

L'ancienne capitale du land de Hesse devint, dans la deuxième moitié du siècle dernier, la ville de la science, de l'économie et de l'art. Des entreprises commerciales et des instituts actifs sur la scène internationale et des organismes de l'aérospatiale ont aujourd'hui leur siège à Darmstadt.

armstadt ist Sitz einer Technischen Universität,
e mit rund 360 Professoren und 20 000 Studieren-
en in 21 Fachbereichen zwar nicht zu den größten
ehört, aber zu den bedeutendsten, deren Ruf
ele zentrale Forschungsinstitute von teilweise
ropäischen Rang in diese Stadt gezogen hat.

Darmstadt is the site of a technical university
which, with its 360 professors and 20,000 students
in 21 departments, is perhaps not among the
biggest but is among the most important and whose
reputation has attracted many central research
institutes to this city, partly on a European level.

Darmstadt est le siège d'une grande école
technique. Avec ses 360 professeurs, ses 20 000
étudiants et ses 21 facultés ce n'est pas l'une des
plus grandes, il est vrai, mais c'est l'une des plus
remarquables. Sa renommée a attiré dans cette
ville de nombreux instituts de recherche scienti-
fique dont certains sont importants à l'échelle
européenne.

Das Schloß

Das Schloß war die Residenz der Landgrafen und späteren Großherzöge von Hessen-Darmstadt. Nach einem Brand im alten Schloß 1715 versuchten die Landgrafen an dieser Stelle ein Schloß von der Größe barocker Residenzen zu errichten. Nur zwei Flügel, darunter der Portalbau, kamen zur Ausführung. So kam es, das sich im Innenbereich die Anfänge der Residenz – vieles davon nach dem Krieg wieder aufgebaut – erhalten haben. Heute ist das Schloß voll von Kunst und Wissenschaften vereinnahmt: Landes- und

The palace was the residence of the landgraves and later of the grand-dukes of Hessen-Darmstadt. After a fire in the old palace in 1715, the landgraves attempted to build a palace of the size of baroque residences. Only two wings, including the portal edifice, were able to be completed. Thus it came that the beginnings of the residence on the inside were preserved – much was rebuilt after the war. Today the palace is full of arts and sciences. National Library and National Archives in the Neuen Schloß, the Schloßmuseum in the

Le château était la résidence des landgraves, plus tard grands-ducs de Hesse-Darmstadt. Après un incendie dans le vieux château en 171 les landgraves tentèrent d'ériger à cet emplace ment un château ayant les proportions des résidences baroques. Deux ailes seulement et le portail furent exécutés. C'est ainsi qu'à l'intéri de la résidence les constructions de la premiér phase ont été conservées. Cet édifice fut recon struit en grande partie après la guerre. Aujour hui le château est consacré aux arts et aux scienc

INTE DOMINE SPERAVI

LUDOVICUS·VI·DG·HASSIÆ·LANDGRAVIUS·PRINCEPS·HERSFELD

SCHLOSS-MUSEUM

NONCONFUNDAR IN ÆTERNUM

Hochschulbibliothek und Staatsarchiv im neuen Schloß, das Schloßmuseum im Glockenbau (Bild) und Hochschulinstitute in den alten Kernbauten.
Der Glockenbau, der 1663 durch den Hofbaumeister J.W. Pfannmüller erbaut wurde und dessen Portal das Doppelwappen von Hessen-Darmstadt und Holstein-Gottorp zeigt, birgt die Haupträume des Schloßmuseums, sowie eine Außenstelle des Landeskonservators. Das Schloßmuseum beschränkt sich nicht nur auf die Darstellung der Landesgeschichte, sondern zeigt in den mehr als 20 Schauräumen Zeugnisse aus der Geschichte der Stadt.

Glockenbau (picture) and college institute in the old central buildings.
The Glockenbau, built by the court architect, J.W. Pfannmüller, in 1663, whose portal displays the double coat-of-arms of Hessen-Darmstadt and Holstein-Gottorp, contains the main rooms of the Schloßmuseum as well as a branch office of the state official for art conservation. The Schloßmuseum does not restrict itself to a presentation of provincial history but displays evidence of the city's history.

Bibliothèque et Archives d'Etat dans le Nouv Château, Musée du Château dans la Glocken (illustration) et institutions universitaires dan vieux édifices centraux.
La Glockenbau fut exécutée en 1663 par l'architecte de la cour J.W. Pfannmüller. Sur son portail on peut voir les doubles armoirie des Hesse-Darmstadt et des Holstein-Gottor Ses salles principales abritent les collections Musée du Château ainsi qu'un département Conservatoire d'Etat. Le Musée du Château se limite pas à l'histoire du «Land» mais il présente également, dans plus de vingt salles documents et reliques sur l'histoire de la ville

unkstück des Schloßmuseums ist die
Madonna des Bürgermeisters Meyer
m Hasen von Basel" 1527 von Hans
olbein d.J. gemalt. Dieses Bild, das
Übergang von der Gotik zur
naissance steht, ist eines der bedeu-
dsten Werke der deutschen Malerei.

e masterpiece of the Schloßmuseum
he "Madonna des Bürgermeisters
eyer zum Hasen von Basel", painted
Hans Holbein d.J. 1527. This
cture, painted during the transition
m Gothic to the Renaissance, is one
the most significant works in German
inting.

yau des collections: la «Madonna des
rgermeisters Meyer zum Hasen von
sel» éxécutée en 1527 par Hans
olbein le Jeune. Cette œuvre qui
présente une transition de la période
thique à la Renaissance est l'une des
s marquantes de la peinture alle-
nde.

Die Stadtkirche

Die Stadtkirche, deren Anfänge bis in das
13. Jahrhundert reichen, ist ein Spiegelbild der
Stadtgeschichte: über Jahrhunderte gewachsen
wurde der Bau 1944 fast ganz zerstört und 1953

The Stadtkirche, whose beginnings extend back
to the 13th century, is a reflection of the city's
history: having grown over centuries the church
was almost completely destroyed in 1944 and

La Stadtkirche dont l'origine remonte au
XIIIe siècle est le reflet de l'histoire de la ville.
Sa construction s'étendit sur plusieurs siècles.
Elle fut presque entièrement détruite en 1944 et

eder aufgebaut. Glücklicherweise blieb von
n Grabdenkmälern – hier das für Landgraf
eorg I. (um 1596) – das wichtigste erhalten,
enso die Fürstengruft.

was rebuilt in 1953. Fortunately the most
important monuments – here the monument to
Landgrave Georg I (around 1596) – were
preserved, including the royal burial-vault.

reconstruite en 1953. Heureusement les
principaux monuments funéraires furent
préservés – ici celui du Landgrave Georg I (vers
1596) – ainsi que le caveau des ducs.

Der Prinz-Georg-Garten – ein verstecktes Kleinod

Seitwärts des in englischem Stil angelegten Herrengartens, von einer Mauer umschlossen, träumt der im französischen Stil gehaltene kleine Garten still vor sich hin, eine Idylle in der Großstadt.

Next to the Herrengarten, laid out in English style and surrounded by a wall, the small garden in French style dreams quietly along, an idyll in the big city. The porcelain collection in the Prinz-Georg-Palais portrays a representative

En retrait du jardin à l'anglaise rêve, paisible entouré d'un mur, le petit jardin à la française un lieu idyllique dans la grande ville.
La collection de porcelaine dans le Palais du Prince Georg est une sélection représentative

Die Porzellansammlung im Prinz-Georg-Palais zeigt einen repräsentativen Querschnitt aus der Porzellanherstellung des 18. und 19. Jahrhunderts in ganz Europa, mit einem Schwerpunkt auf dem Gebiet der hessischen Manufakturen.

cross-section of porcelain production in the 18th and 19th centuries in all of Europe, especially regarding Hessian production.

la porcelaine européenne des XVIIIe et XIXe siècles. L'accent y est mis sur les productions des manufactures de Hesse.

Neues Bauen in historischer Umgebung

In dem neuen Staatstheater, mit Großem und Kleinem Haus, das 1968–72 auf dem Grund des ehemaligen Neuen Palais erbaut wurde, wird die bedeutende Tradition des Darmstädter Theaters weitergeführt, denn die Darmstädter sind ein kritisches, engagiertes Theaterpublikum.

In the new Staatstheater, which has a large and a small house and which was built on the site of the former Neuen Palais in 1968–72, the significant tradition of Darmstadt's theater is carried on, for the people of Darmstadt are a critical and devoted audience.

Dans le nouveau Théâtre d'Etat, composé du Petit et Grand Théâtre érigé de 1968 à 1972 su l'emplacement du Nouveau Palais, on perpétu remarquable tradition du théâtre de Darmstad Le public de cette ville est en effet critique et engagé.

er Krieg hinterließ von der von Georg Moller bauten Loge nur den klassizistischen Portikus, r durch Rolf Romero 1964 in diesen Neubau, r den Klassizismus von Moller in die moderne rchitektursprache überträgt, eingebunden urde. Das Haus dient heute als Loge und esellschaftshaus.

The war left only the classicist portico of the arcade built by Georg Moller; in 1964 through Rolf Romero it was combined into this new edifice which unites the classicism of Moller with modern architecture. Today the house serves as arcade and reception-hall.

La guerre n'épargna de la Loge construite par Georg Moller que le portique classique qui fut incorporé en 1964 par Rolf Romero dans le nouvel édifice. Celui-ci perpétue dans son architecture moderne le classicisme de Moller. L'édifice sert de Loge. Les activités communales y ont également lieu.

Museen – Museen

In dem großen Bau am Friedensplatz sind noch heute kunstgeschichtliche, naturgeschichtliche und naturkundliche Sammlungen so vereint, wie das einer fürstlichen Sammlung bis 1800 entsprach. Besondere Schwerpunkte konnten seit der Stiftung des Museums 1820 auf den Gebieten

In the large building at Friedensplatz there are still today collections of art history, natural history and natural science which are so combined as would be appropriate for a princely collection up to 1800. Since the founding of the museum in 1820 it has been able to develop special points of

Dans le grand édifice de la Friedensplatz sont réunies encore aujourd'hui des collections relatives à l'histoire de l'art et aux sciences naturelles selon les conceptions princières à l'honneur jusqu'en 1800. Depuis l'inauguration du musée en 1820 l'accent est mis sur la peinture

der mittelrheinischen Tafelmalerei bis 1500 und der europäischen Malerei des 17. Jahrhunderts ausgebaut werden. Zu den wertvollsten Stücken gehört dabei von P.P. Rubens das Bild „Dianas Heimkehr von der Jagd".

interest in the areas of middle-Rhine wood-panel painting up to 1500 and European painting of the 17th century. Among the most valuable exhibits is P.P. Rubens' picture, "Diana's Return from the Hunt".

rhénane jusqu'en 1500 et la peinture européenne du XVIIe siècle. Parmi les œuvres les plus précieuses il faut citer le tableau de P.P. Rubens «Diane revenant de la chasse».

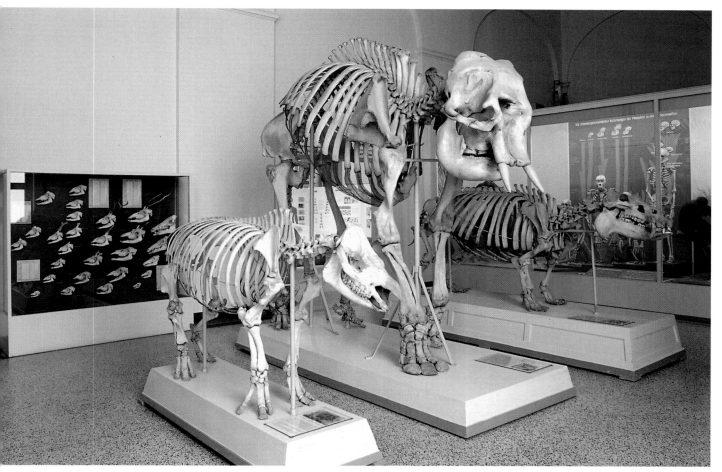

e naturwissenschaftlichen Sammlungen sind
s dem großherzoglichen Naturalien-Kabinett
rvorgegangen. Am Beispiel seltener Fossilien
d Mineralien wird hier die Erd- und Lebensge-
hichte gezeigt. Die benachbarte berühmte
Grube Messel" bietet dabei Gelegenheit zu
eiterem Ausbau dieser Sammlungsabteilungen.

The natural science collections came from the
grand-ducal natural history collection. The
history of the earth and of life is displayed here
through examples of rare fossils and minerals.
The famous adjacent "Grube Messel" offers the
opportunity to expand these collection sections
even further.

Les collections d'histoire naturelle proviennent
du Cabinet de science des grands-ducs. Des
fossiles et des minéraux rares illustrent l'histoire
de la terre et l'évolution des espèces. Non loin de
là, le célèbre «Grube Messel» fournit de nouveaux
spécimens aux collections.

Nach 1945 wurde auch die Kunst unseres Jahrhunderts systematisch gesammelt. Angefangen beim Jugendstil, in dem Darmstadt eine führende Rolle übernommen hatte, über die Malerei des Expressionismus bis hin zu den

After 1945 our century's art was also systematically collected. Thanks to private financial support a cross-section of art work of our time was able to be compiled, beginning with Jugendstil (period around 1900), in which Darmstadt

Après 1945, les œuvres d'art de notre siècle furent systématiquement réunies. Le style 19&&& qui joua un rôle si important à Darmstadt y e& représenté de même que l'expressionisme et le&& diverses tendances de la peinture contempo-

tuellen Gegenwartsströmungen der Zeit
nnte dank privaten Mäzenatentums ein
uerschnitt durch das Kunstschaffen unserer
eit zusammengetragen werden.

played a leading role, and Expressionist painting
and up to and including the most contemporary
streams of the present.

raine. De généreux mécènes permirent d'as-
sembler ces œuvres représentatives de l'art
moderne.

Gegründet als Institut für Neue Technische Form beherbergt es heute zusätzlich die einzigartige „Braun-Design-Sammlung" mit einer fast kompletten Palette von Entwürfen und Erzeugnissen des für seine Produktgestaltung weltweit bekannten Unternehmens.

Founded as the Institute for New Technical Form, today it additionally accommodates the unique "Braun Design Collection" with a nearly complete spectrum of designs and products of the company renowned worldwide for its product design.

Il fut fondé comme Institut pour une Nouvelle Esthétique Industrielle et abrite également la «Collection Braun-Design», unique en son genre. Elle comprend un choix très riche d'esquisses et d'objets dus à cette entreprise connue dans le monde entier pour le caractère esthétique de ses productions.

In den Bau der Kunsthalle, einem „Klassiker" der 50er Jahre von Theo Pabst wurde der Portikus des alten Vereinsgebäudes integriert. – Die Kunsthalle hat sich die Präsentation des gegenwärtigen Kunstschaffens zur Aufgabe gestellt.

The portico of the old association building was integrated into the structure of the Kunsthalle (Art Gallery), a "classic" of the fifties built by Theo Pabst. The Kunsthalle is devoted to the presentation of contemporary works of art.

Le portique du vieux Vereinsgebäude fut intégré au Kunsthalle, un édifice «classique» des années cinquante, œuvre de Theo Pabst. – Ce musée est dédié à la production artistique contemporaine.

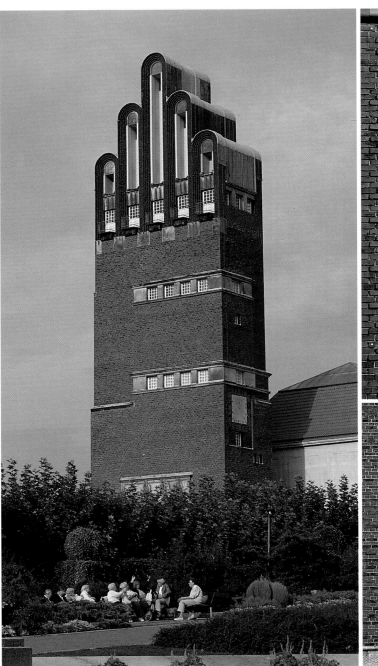

DER TAG GEHT
ÜBER·MEIN·GESICHT
DIE·NACHT·SIE
TASTET·LEIS·VORBEI
UND·TAG·UND·NACHT
EIN·GLEICHGEWICHT
UND·NACHT·UND·TAG
EIN·EINERLEI

UND·EWIG·KREIST
DIE·SCHATTENSCHRIFT
LEBLANG·STEHST·DU
IM·DUNKLEN·SPIEL
BIS·DICH·DES·SPIELES
DEUTUNG·TRIFFT
DIE·ZEIT·IST·UM
DU·BIST·AM·ZIEL

Die Mathildenhöhe

898 gab Großherzog Ernst-Ludwig den Anstoß zur Gründung einer
Künstlerkolonie, die 1901 das erste Mal mit einer epochemachenden
Ausstellung an die Öffentlichkeit trat. Wortführer war damals Josef M.

n 1898 Grand-Duke Ernst-Ludwig gave the impulse for the foundation
f an art colony which was opened to the public for the first time with
n epoch-making exhibition in 1901. At that time the spokesman was

En 1898 grâce à l'initiative du grand-duc Ernst-Ludwig fut fondée
ne colonie d'artistes dont la première exposition en 1901 fit époque.
e chef de file était alors Josef M. Olbrich qui en 1905-08 fit d'un

Olbrich, der 1905-08 auf einem Wasserreservoir den Hochzeitsturm mit dem „Bild" der Schwurhand des Großherzogs schuf. Später traten Künstler wie Bernhard Hoetger in den Vordergrund. Er schuf 1913 den Skulpturenschmuck des Platanenhains.

Josef M. Olbrich who created the Hochzeitsturm with the "picture" of the oath-taking hand of the grand-duke on a floodwater container in 1905-08. Later artists such as Bernhard Hoetger stepped into the foreground. He created the sculpture decoration of the sycamore grove in 1913.

réservoir d'eau la Hochzeitsturm avec la représentation de la «main» du grand-duc. Plus tard d'autres artistes prirent la relève, comme Bernhard Hoetger qui créa le bijou sculptural «Platanenhain».

Die Russische Kapelle wurde 1898 für die Schwester des Großherzogs, die letzte Zarin von Rußland erbaut. Die Kapelle dient heute noch dem orthodoxen Kultus.

The Russian chapel was built for the grandduke's sister, the last czaress of Russian, in 1898. Even today the chapel serves Orthodox worship.

La Chapelle Russe fut construite en 1898 pour la sœur du grand-duc, dernière tzarine de Russie. La Chapelle est encore de nos jours, de rite orthodoxe.

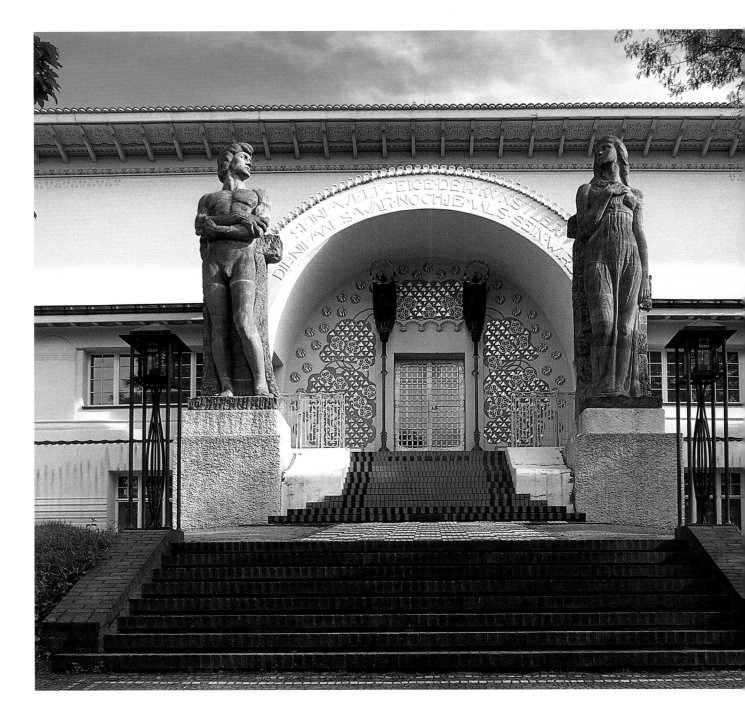

Das „Museum Künstlerkolonie Darmstadt" im Ernst-Ludwig-Haus, dem Atelierhaus der Künstler der ersten gemeinsamen Ausstellung des Darmstädter Künstlerkreises im Jahre 1901, zeigt vor allem Werke der zwischen 1899 und 1914 hier tätigen Künstler.

The "Darmstadt Artist' Colony Museum" in Ernst-Ludwig-Haus, the studio house of the artists who contributed to the first joint exhibition of the Darmstadt circle of artists in 1901, shows, in particular, works of the artists who worked here between 1899 and 1914.

Le «Musée de la Colonie d'Artistes de Darmstadt» est aménagé dans l'Ernst-Ludwig-Haus, jadis atelier des artistes du Cercle de Darmstadt qui exposèrent ensemble pour la première fois en 1901. Il présente avant tout des œuvres des artistes qui travaillèrent ici entre 1899 et 1914.

Stadt im Grünen

Vom Hochzeitsturm aus hat man einen zauberhaften Blick über die Stadt und ihr grünes Umland: im Osten der Odenwald, im Süden die Bergstraße und im Westen die Rheinebene mit dem nahen Ried.
Bild unten: Garten der Rosenhöhe.

From the "Wedding Tower" one has an enchanting view of the city and its green surroundings: Odenwald to the east, Bergstraße to the south and the Rhine plain with nearby Ried to the west.
Picture below: Rosenhöhe garden.

De la Tour des Mariés la vue sur la ville et ses environs verdoyants est magnifique: à l'est l'Odenwald, au sud la Bergstraße et à l'ouest la plaine du Rhin avec le Ried.
Photo ci-dessous: le jardin de Rosenhöhe.

Das „Löwentor" von B. Hoetger und Albinmüller war der Zugang zur letzten Ausstellung der Künstlerkolonie 1914 auf der Mathildenhöhe – versetzt bildet es heute das Entrée zur Rosenhöhe mit der neuen Künstlerkolonie.

"Löwentor" (Lion's Gate) by B. Hoetger and Albinmüller was the entrance to the last exhibition of the artists' colony on Mathildenhöhe in 1914 – it now forms the entrance to Rosenhöhe with the new artists' colony.

La «Porte des Lions» œuvre de B. Hoetger et d'Albinmüller était l'entrée à la dernière exposition de la Colonie d'Artistes qui eut lieu en 1914 sur la Mathildenhöhe. Elle fut déplacée et sert aujourd'hui d'entrée à la nouvelle Colonie d'Artistes de Rosenhöhe.

ie Denkmalstadt ist Darmstadt ganz nebenbei
h: Neben den großen Fürstenmonumenten auf
Plätzen der Stadt findet man in den öffent-
en Gärten hübsche und sinnige Stätten der
rehrung und des Gedenkens, so im Herrengar-
den „Genius der Dichtkunst" von L. Habich,
ichtet zu Ehren von Goethe.

Incidentally, Darmstadt is also a city of monuments: besides the large monuments to elector-
princes at the town's squares, you can find lovely
and apt sites of reverence and remembrance in the
public gardens, such as the "Genius of the Art of
Poetry" by L. Habich, in honor of Goethe, in the
Herrengarten.

Darmstadt est aussi une ville de monuments:
en plus des grands monuments princiers sur les
places de la ville, on trouve dans les jardins
publics de charmants lieux de commémoration
qui prêtent à la rêverie, comme ici dans le Herrengarten «le Genie de la Poésie», œuvre de
L. Habich dédiée à Goethe.

Darmstadt am Wochenende

on keinem Punkt der Stadt aus braucht man
nger als 30 Minuten um aus der Stadt heraus zu
ommen und etwa das mitten im Wald liegende
aherholungs- und Freizeitzentrum am Stein-
rücker Teich zu erreichen. Und wer lieber in der
adt bleiben möchte, findet auch hier Orte der
rholung, wie den Botanischen Garten, Bürger-
rk, Herrngarten oder Garten der Orangerie.

From any point in the city one needs no longer
than 30 minutes to get out of the city and reach
the nearby recreation and leisure center at
"Steinbrücker Teich" in the middle of a forest.
And those who prefer to remain in the city can
also find places for relaxation there, such as the
Botanical Garden, Bürgerpark, Herrngarten or
the Orangerie garden.

Quel que soit l'endroit de la ville où l'on se trouve
on n'a jamais besoin de plus de 30 minutes pour
en sortir et atteindre le centre de repos et de
loisirs «Steinbrücker Teich» situé en pleine forêt.
Qui préfère rester en ville peut aussi y trouver des
lieux de repos comme le Jardin Botanique, le
Herrngarten ou le Jardin de l'Orangerie.

Was tun mit einem riesigen, vollständig erhaltenen Bahnbetriebswerk? Man gründet einen „Verein Museumsbahn", sammelt und pflegt alte Schienenfahrzeuge und Bahnbetriebsobjekte und zeigt sie Leuten, die ihr Herz für die Anfänge des Eisenbahnwesens bewahrt haben.

What to do with a huge, completely intact railway depot? Found a "Railway Museum Society", collect and maintain old railway vehicles and depot objects and show them to people who still have a heart for the beginnings of the railroad.

Que faire d'une gigantesque usine ferroviaire encore intacte? L'on fonde un «Association du Musée Ferroviaire» qui collectionne et entretient de vieux trains et objets liés à cette industrie et on les montre aux amis le l'âge héroïque du chemin de fer.

us einem Vivarium hat sich ein kleiner aber
iner Zoo herausgebildet, der einen Schwerpunkt
ustralien, Madagaskar und Neuguinea pflegt,
eben schönen Beispielen von Huftieren und
amelen.

A small but very nice zoo, which developed out of
a vivarium, focuses on Australia, Madagascar and
New Guinea and also has lovely examples of hoofed
animals and camels.

Ce zoo petit mais exquis s'est constitué à partir
d'un vivarium. On y trouve de beaux spécimens
de camélidés et d'ongulés. L'accent y est mis sur
l'Australie, Madagascar et la Nouvelle Guinée.

Viele Ausflugsziele bietet die Stadt. Das am nächsten gelegene ist die Burg Frankenstein, oberhalb des Stadtteils Eberstadt. Von der Burgruine, die in Teilen aus dem 14. Jahrhundert stammt, kann man einen überwältigenden Blick zur Rheinebene genießen.

The city offers many excursion points. The closest is Burg Frankenstein, above the city district of Eberstadt. From the ruins of the castle, parts of which date from the 14th century, one can enjoy an awe-inspiring view of the Rhine plain.

La ville offre de nombreuses possibilités d'exc sions. L'une d'elles, la plus brève, conduit au château-fort de Frankenstein qui domine le quartier d'Eberstadt. Des ruines qui datent en partie du XIVe siècle, on a une vue magnifiqu sur la vallée du Rhin.

armstadt ist aber auch das Tor zu Bergstraße nd Odenwald. Im Odenwald soll sich das Drama er Nibelungensage abgespielt haben, das von m nahen Worms seinen Anfang nahm. Ob zur irschblüte an der Bergstraße, oder zur karolin- schen Torhalle in Lorsch – es gibt Ausflugsziele r jeden.

Darmstadt is, however, also the gateway to Bergstraße and Odenwald. The drama of the Nibelung saga, which began in nearby Worms, is supposed to have taken place in Odenwald. Whether it is the cherry blossoms along the Bergstraße or the Carolingian Torhalle in Lorsch – there are excursion points for everyone.

Darmstadt est à l'entrée de la Bergstraße et de l'Odenwald. C'est dans l'Odenwald que l'action de la chanson de geste des Nibelungen se déroule – et c'est, non loin de là, à Worms, qu'elle commence. Que l'on désire voir les cerisiers en fleur de la Bergstraße ou l'édifice carolingien du Torhalle à Lorsch, il y a des excursions pour tous les goûts.

ohnenswert sind aber auch ein Besuch des in
ner ausgedehnten Wildparkanlage gelegenen
agdschlosses Kranichstein, einem der wenigen
och erhaltenen Renaissance-Schlösser in
eutschland, mit seinem berühmten Jagdmuseum
der lange, ausgedehnte Wanderungen – vielleicht
n Burg zu Burg – im benachbarten Odenwald.

Also worthwhile, however, is a visit to the
Kranichstein hunting lodge, which is situated in
an expansive game park, has a famous hunting
museum and is one of the few preserved
Renaissance castles in Germany, or taking long,
extensive walks – perhaps from castle to castle –
in neighboring Odenwald.

On ne regrettera pas une visite au pavillon de
chasse de Kranichstein, l'un des rares châteaux
Renaissance qui existent encore en Allemagne.
Il est situé dans un vaste parc à gibier. Avec son
célèbre Musée de la Chasse il peut être le point
de départ de longues marches, de château en
château, dans l'Odenwald avoisinant.

Chronik

Ende 11. Jahrhundert
„Darmundestat" erstmals urkundlich erwähnt
1330
Stadtrechte für Darmstadt
1479
Darmstadt fällt an Landgraf Heinrich III. von Hessen
1715
Die Marktfront des Schlosses – „Kanzleibau" – brennt ab. Louis Remy de la Fosse plant einen Neubau.
1806
Landgraf Ludwig X. von Napoleon zum Großherzog erhoben
1848
Unter dem Druck des Landtags muß Ludwig II. abdanken
1899
Gründung der Künstlerkolonie durch Großherzog Ernst-Ludwig
1909
Ausstellungsgebäude und Hochzeitsturm (nach Plänen von J.M. Olbrich) werden fertig
1923
Erste Verleihung des Georg-Büchner-Preises an Arnold Mendelssohn und Adam Karillon
1935
Erste Teilstrecke der Reichsautobahn, der Abschnitt Frankfurt-Darmstadt, eröffnet
1937
Arheilgen und Eberstadt werden eingemeindet. Ein Teil der Gemarkung Griesheim kommt hinzu. Darmstadt ist Großstadt.
1944
Die Innenstadt wird durch Bomber zerstört. 12 300 Tote, 70 000 Obdachlose, noch 50 000 Einwohner
1959
Verschwisterung mit Troyes, Alkmaar und Chesterfield
1968
Verschwisterung mit Bursa, Graz und Trondheim
1977
St. Stephan wird Stadtteil von Griesheim, Wixhausen neuer Stadtteil von Darmstadt
1978
Inbetriebnahme des Neuen Rathauses mit Kongreßhalle
1982
Stadtteil Eberstadt wird 1200 Jahre alt
1990
Eröffnung des Museums Künstlerkolonie Darmstadt
1994
„Haus der Geschichte" eröffnet
1997
Neues Einkaufszentrum „Carree" eröffnet

Chronicle

At the end of the 11th century
"Darmundestat" appears for the first time on a document
1330
Municipal laws for Darmstadt
1479
Count Heinrich III of Hessen inherits Darmstadt
1715
The facade of the palace "Kanzleibau" is burned down. Louis Remy de la Fosse designs a new reconstruction.
1806
Count Ludwig X is raised to Grand Duke
1848
Under pressure from the Legislative Assembly, Ludwig II abdicates
1899
Founding of the Artists' Colony by the Grand Duke Ernst-Ludwig
1909
Exhibition Halls and Wedding Tower (plans by J.M. Olbrich) are completed
1923
The awarding for the first time of the Georg Büchner Prize to Arnold Mendelssohn and Adam Karillon
1935
First part of the Reich motorway is opened. The section Frankfurt-Darmstadt.
1937
Arheilgen and Eberstadt become a part of Darmstadt. Also a part of the Griesheim boundary. Darmstadt is a "Großstadt" (more than 100,000 inhabitants).
1944
The town centre is destroyed by a attack by bombers. 12,300 dead, 70,000 homeless, 50,000 inhabitants.
1959
Troyes, Alkmaar and Chesterfield become twin towns
1968
Bursa, Graz and Trondheim become twin towns
1977
St. Stephan becomes a district of Griesheim. Wixhausen becomes a new district of Darmstadt.
1978
The opening of the New Town Hall and Congress Hall
1982
City district of Eberstadt becomes 1200 years old
1990
Opening of the Darmstadt Artists' Colony Museum
1994
"Haus der Geschichte" ("House of History") opened
1997
New shopping center, "Carree", opened

Histoire

A la fin du 11e siècle
«Darmundestat» est mentioné pour la première fois dans les chroniques
1330
Charte pour Darmstadt
1479
Le landgrave Henri III de Hesse hérite de Darmstadt
1715
La façade du château – «Kanzleibau» – brûle
1806
Le landgrave Louis X est élevé au rang de grand-duc par Napoléon
1848
Sous la pression du Landtag Louis II doit abdiquer
1899
Le grand-duc Ernst-Ludwig fonde la Colonie d'artistes
1909
Bâtiment d'Exposition et Hochzeitsturm (tour de mariage) sont complétés, d'après les plans de J.M. Olbrich
1923
Le Prix Georg Büchner est accordé pour la première fois à Arnold Mendelssohn et Adam Karillon
1935
Première section de l'autoroute du Reich – ouverture de la section Frankfurt-Darmstadt
1937
Arheilgen et Eberstadt ainsi qu'une partie de Gemarkung Griesheim sont incorporés à la ville. Darmstadt devient une «Großstadt».
1944
Le centre de la ville est détruit par les bombardements. 12 300 morts, 70 000 sans-abris, 50 000 habitants.
1959
Jumelage avec Troyes, Alkmaar et Chesterfield
1968
Jumelage avec Bursa, Graz et Trondheim
1977
St. Stephan devient un quartier de Griesheim. Wixhausen un nouveau quartier de Darmstadt.
1978
Inauguration du Nouvel Hôtel de Ville avec la Salle des Congrès
1982
Le quartier d'Eberstadt fête son 1200e anniversaire
1990
Inauguration du Musée de la Colonie d'Artistes de Darmstadt
1994
Inauguration de la «Maison de l'Histoire»
1997
Inauguration du nouveau centre commercial «Carree»